Ni
Bia'r
Awyr
Guto
Dafydd

Ni Bia'r Awyr

Guto Dafydd

Cyhoeddiadau
Barddas

CYM
891.6612
DAF

Cyhoeddwyd rhai o'r cerddi eisoes yn *Barddas, tu chwith, Y Ffynnon, Byw Brwydr: Detholiad o Ganu Gweidyddol 1979-2013* (gol. Hywel Griffiths), Cyhoeddiadau Barddas, 2013 a *Cyfansoddiadau a Beirniadaethau Eisteddfod Genedlaethol Cymru Sir Gâr 2014*.

Diolch i Elena Gruffudd, golygydd Cyhoeddiadau Barddas am ei holl waith.

Ⓓ Guto Dafydd/Cyhoeddiadau Barddas ©

Argraffiad cyntaf 2014

ISBN 978-190-6396-78-7

Cyhoeddwyd gyda chymorth ariannol Cyngor Llyfrau Cymru.

Cyhoeddwyd gan Gyhoeddiadau Barddas.

Argraffwyd gan Wasg Dinefwr, Llandybïe.

I ti, sy'n dallt

Cynnwys

Syrffio

Maen nhw'n sibrwd bod y llanw'n troi,
yn dweud bod y dŵr yn dod.
Gwelant y rhyferthwy'n chwythu o'r gorwel
gan wybod y cawn i gyd
ein sgubo'n ei sgil.

Mae rhai'n gweddïo am atal y llif
ac eraill am godi protest
i atal disgyrchiant a thynfa'r lleuad,
a newid cyfeiriad y gwynt.

Ninnau: cydiwn yn ein byrddau ysgafn,
rhedeg i'r eigion a bwrw iddi,
dringo'r tonnau digymrodedd
ac ehedeg,
ein llygaid yn disgleirio ag ehangder y môr,
a'r awel hallt yn ein cario'n uwch.

Ac os bydd tasgu'r dŵr yn llosgi
a mympwy'r gwynt yn ein taflu
at ddibyn trychineb,
safwn yn frau ar erchwyn y byd
a chwympo'n ogoneddus.

Yng nghlochdai Bangor

> A'r amser hwnnw y gwnaethpwyd brad y Tywysog Llywelyn,
> yng nghlochdai Bangor, gan ei wŷr ei hun.
>
> Brut y Tywysogion

Roedd popeth yn solet:
ein cariad yn wladwriaeth o'n cwmpas,
y tŷ'n llys a sôn am ehangu
nes clywais i sibrwd slei
yng nghlochdai Bangor fy nghalon –
mwmial sy'n sigo cynghreiriau
a simsanu ffyddlondeb.

'Doeddet ti ddim yno
pan fuodd hi'n nofio'n y môr,
pan daflodd ei chywilydd a'i sgert ar y tywod
a rhedeg heb ildio i oerni
dŵr oedd yn halltach na'r *tequila slammers*:
dŵr sobri'r bore bach.'

Yng nghlochdai Bangor fy nghalon,
mae cwyr y golau gwan yn caledu'n amheuon,
yn troi gwirionedd hanner oes yn gelwydd.

'Mae ei rhyddid yn dy ddychryn di:
ysgafnder ei hewyllys yn y tonnau,
ei chryndod hebot – fel yr holl nosweithiau gwin

pan na allet hawlio'r
gusan oedd yn dawnsio ar ei gwefus,
isio denig.'

A dyna 'nghael fy hun yn styc: mewn gwely tywyll
yn poeni ai bod efo hi 'ta peidio ydi'r pechod,
yn trio ffiltro 'mreuddwydion
cyn eu breuddwydio, rhag ofn;
yn sâl amdani, yn berwi'n sych o serch;
yn dyfeisio ffyrdd o guddio cariad
mewn caredigrwydd
i'w smyglo ati
heb hawl.

Fu gen i erioed hawl
ar oleuni ei henaid na swildod ei gwên:
y cwbl ohoni sy'n eiddo i mi
yw'r naid yn fy nghalon wrth glywed ei henw,
y gobaith sy'n brifo ar y lôn laith,
y diferion hallt o beryg
sy'n llosgi fel dagrau.

Ond, yng nghlochdai Bangor fy nghalon,
mae lleisiau sy'n mynnu gamblo
holl gadernid ein gwladwriaeth fach
am hynny ...

Twll yn y wal

11/12/2012

Un o'r boreau llwyd sy'n ein bwrw i'r llawr: bore parasetamol.
Un o foreau'r deri a'r cigfrain, y marwnadu a'r taflu bai
ac oglau mwg a chwys a chwrw'n stêl yn y glaw.

Mae'r dre'n damp a'r tai'n dywyll.

Safaf wrth dwll yn y wal
a chysgodi fy llygaid rhag y gwynt
a'm rhif rhag llygaid eraill.

Gwrthod.

Mae'r cyfri'n wag, a minnau
wedi byw'n rhy hir ar gredyd gobaith
a gamblo gormod ar addewidion:
benthyg, mentro, ymddiried
bod twf a dyddiau gwell i ddod.

Mwg tanau glo'n beswch sych ar y gwynt,
a'r ystrydebau'n chwerthin.

Eiddil

Gerallt, S4C, 03/03/2013

Does dim gwadu'r eiddilwch hwn: y tagu
chwithig, y symud bregus, yr anadlu main.

Dim ond dyn yw hwn,
y truan sy'n llusgo'i esgyrn i wneud wy;
dim ond un
o'r dynion gwelw a'u dyddiau'n teneuo
cyn cracio'n ddisyndod ar fore oer.

Gwamalu dyn sy'n nabod ei dynged
yn y jôcs claf, chwerw a'r sigaréts;
gwydrau'n hollti yn y chwerthin-crio.

Ond hwn yw'r gŵr, ar ambell funud,
a all godi dryll yn chwim o'r llawr
a tharo ergyd lân at graidd ein celwydd.

Mae trychineb ein byw'n trydanu drwy esgyrn
a wisgwyd â jîns rhy fawr a chrysau plaen:
mae ach tywysog yn y corffyn tila hwn.
Mae'i anadlu'n cynganeddu, ei lais yn ysgwyd
â holl farwnadau'n hil ers Llywarch Hen.
Gwasgwyd cynhysgaeth i bob gair
a hanfod cenedl i bob sill.

Nid dim-ond-dyn mohono.

Llanw

Ceredigion, Ionawr 2014

Pan soniem am y llif yn merwino'r wlad
a'r môr yn cnoi a llyncu'r tir o'n gafael,
doedden ni ddim o ddifri: chwarae
â thywod delweddau yr oeddem –
gwneud cestyll â'n hiaith i'w chwalu'n rhybudd –
tra oedd y dŵr yn brochi'n saff
y tu ôl i forglawdd metaffor,
ofn y dileu'n troelli'n wymonllyd yng nghantrefi
gwaelod un ein dychymyg,
a'r tonnau'n ddim ond poer tafodau beirdd.

Ond un noson, anghofiodd y môr
ei le; neidiodd y rhyferthwy'n
gynddaredd hallt i fyny sgertiau'r dre
heb hidio am ffenestri, na fflachiadau'r camerâu,
a rhwygo defnydd y wal sy rhwng y môr a'r stryd.

Drannoeth, gorweddai'r dŵr yn ôl yn fodlon,
wedi cael ei damaid, yn sbeitio'n defodau
a'r rheiny'n rhwd: coffi'r bore, cicio'r bar,
diogelwch machlud y gorllewin;
y dre'n llai, yn crynu'n eiddil
â thywod yn ei chorneli,
yn sbio dros ei hysgwydd.

Ar drai un bore, dyna weld bonion duon
ac olion llwybr milenia oed, a meiddio
meddwl bod yr eigion yn difaru, yn dychwelyd ein tir.
Daeth llanw wedyn.

I Mam a Dad, i ddiolch am fwrdd cegin

Efalla'i fod o'n antîc; ella ddim.
Bu'n gorffwys yn ddistadl ers tro
yng nghysgodion llychlyd y stydi:
llyfrau'n rhaeadru drosto –
degau o gyfrolau'n gyfrodedd,
rhesi a phentyrrau'n pwyso'n
sgi-wiff; esboniad ar ben cofiant
wrth ochr achau. Ond fuoch chi 'rioed yn rhai
i adael i ddysg ddiogi mewn goruwchystafell.
Ac roedd arnon ni, yn nhŷ'r briodas newydd, angen bwrdd
o ddeunydd gwell na fflatpacs Argos;
hwn amdani (a'r llyfrau'n
bentyrrau ar lawr, bellach).

Gwrthod pres wnaethoch chi,
yn y sicrwydd
y daw hwn, rŵan, yn fwrdd
fel byrddau swperau 'mhlentyndod:
lle roeddech chi'n peidio dal pen rheswm â ni'r plant –
yn gadael inni ddirwyn
llinynnau'n cynnen i'w terfyn afresymol,
wrth fachu nygets ein gilydd;
chwerthin gyda'n ffraethineb amrwd
a gadael ein gwiriondeb heb ei dynnu'n griau
fel bod ein malu awyr angof ni'n
ffurfio'n straeon cywrain yn y cof.

Wnaiff ein paent porffor ni
ddim cuddio cadernid y derw:
wnaiff hwn ddim gwegian
dan bwysau sgyrsiau newydd
ein tŷ ni.

Rhwng dau olau

Gwaith Elfyn Lewis

A bore tywyll y cymudo cysglyd
yn ein tynnu'n ddu o'n gwlâu,
mae cysur oren golau'r stryd yn diffodd
wrth inni geisio cofio stori'n breuddwyd.

Ymolchwn, ac eillio rhywfaint
ar flew'n trwyn. Tynnu'n tei i'r hyd iawn;
cribo'n moelni.
Tynnu siwtiau dynion amdanom
er bod oglau llwch a chwys dan y ceseiliau.
Tost oer. Coffi'n llosgi. Sws.
Troi trwyn y car at ddydd
o shefflo papur a phryderon pitw.

Pan bwyswn y sbardun i gael 'madael
â'r faniau trwsgwl sy'n arafu'r lôn,
am eiliad cawn ymadael â'n cyrff hanner cant
a gwibio'n ifanc, yn ddisglair ein rhyddid,
gan wadu cyffredinedd hanner oes wrth ddesg,
cyn dod at rowndabowt.

Os ydym ynysoedd –
lympiau duon ar ddüwch y môr –
onid oes ambell linell o oleuni arnom,
sy'n llachar yn llygad y neb a'n gwêl o bell?

Cenfigennu wrth Lywelyn Goch ap Meurig Hen

Wyddet ti, Lleucu,
y byddai'r sws a'r wên awgrymog,
cyn i'r bardd garlamu i glera dros y gaeaf,
yn para'n hwy na'r gaeaf hwnnw?
Wrth grynu'n chwyslyd yn dy wely,
a Rhagfyr oer yn llacio gafael
dy ddwylo bach ar boen y byd,
wyddet ti ddim y dychwelai a'r haul yn ei wallt
cyn damio na chedwaist d'amod,
stido'i dymer yn gywydd, adeiladu delwedd
o'i ddagrau a'i gamau gwirion 'gylch y bedd –
codi'i gynghanedd yn orchymyn i'r ddaear agor
a'r arch dy ryddhau: dy gyfarch fel ffŵl
dan ffenest dywyll, a'r geiriau'n para
fel nad oes ots dy fod yn dy fedd.
Ger llecyn oer fy Lleucu innau, yn hanner bardd
heb arfau crefft i'w chodi eto'n fyw
na thafod rhugl i droi galar yn groyw,
rwy'n poeri dagrau blêr ac udo nonsens;
ni all fy ngeiriau newid dim, felly rwy'n rhofio
â'm dwylo bridd y bedd, yn ysu am ei gweld.
Crwydro lle cerddem, galw'i henw, melltithio'i hoerni:
dymuno bod fel hi am na ches ei hachub
a'r haf yn llwm.

Pompeii

Codwn barwydydd â'n cywyddau:
cydio gair wrth air yn strwythur saff,
englynion praff yn gerrig sylfaen,
cwpledi'n dynn ar y toeau
a thrawstiau croes-o-gyswllt cain
i gynnal cadernid y tai.

Gwnawn strydoedd o'n straeon,
darlunio'n byw a'n bod,
gadael ôl ein gwyliau a'n chwedlau.
Darlledwn ein diwylliant yn dref
a ffeirio ceiniogau ym marchnad syniadau.

Caiff yr archeolegwyr, wedyn,
dyllu ceinder gwareiddiad o'r pridd
a rhyfeddu at grefft a graen
y gwŷr a greodd yma gaer.

Cofnodant estheteg foddhaol pob carreg a wal
pan fydd y strydoedd yn dawel a'r neuaddau'n wag.

Ni

Mae'n sibolethau ni'n iawn yn eu lle, wrth gwrs:
nodio ar feirdd, dwstio Hanes Cymru, gwisgo'n drwsiadus
i fynd i roi trefn ar glipiau papur ein gwareiddiad brau;
aberthu cysuron er mwyn y diwylliant
(wel, cysgu mewn carafán);

codi llais Cymraeg y peiriant hunanwasanaeth
wrth brynu'r swper chwarel Tesco Finest; picio i Gaer
i guddio'n gwelwder gwladaidd â ffêc-tàn Lloegr;
dawnsio i Bryn Fôn mewn ffordd eironig;

parcio'r Audi (a'i rif personol sy ddim cweit yn gweithio)
yn huawdl yn ymyl picyps y diwylliant disl coch
wrth bicio i'r festri i ganmol y plant,
crwydro Eryri cyn *cappuccinos*
heb deimlo'r glaw drwy'n cotiau oel byddigions.

Ar ôl i'n teidiau grafu byw ar wyneb craig
a lladd lloi tenau mewn tyddynnod llwm
pwy all warafun inni odro cyflog hufennog
o bwrs y wlad a'n ciciodd? *Champion.*
Dangoswn i'r werin mai yn Gymraeg mae llwyddo.

Ond yn yr eiliadau slei o ddiogelwch
pan fo bybls y *prosecco*'n cosi,
wrth bwyso'r PIN heb ofid am botel arall,
fiw inni feiddio teimlo'n saff.

Bardd serch

Mae hi'n dweud
nad ydw i'n canu cerddi iddi –
yn odli'n cariad yn benillion cain –
ond mae'n anodd cynganeddu
â llond hafflau o ddillad
a phrydu ymysg tasgau diflas,
ynfyd o hanfodol.
A dyna'r aberth beunyddiol
sy'n addoliad iddi:
llwytho'r peiriant,
cofio'r sebon,
gwylio'r troi.
Diflastod sy'n creu cartref,
nid cerddi chwil.

Blodeuwedd

Theatr Genedlaethol Cymru, Tomen y Mur, 18/07/2013

Mae'r tir hwn yn gwneud sens eto, rŵan,
ar ôl diflastod mileniwm o bori:
y mynyddoedd yn setlo yn siâp hen diriogaethau
wrth i fydrau Saunders ddisgyn yn berffaith
o gwmpas cwymp y graig i'r brwyn,
ac ochr y waun yn dragwyddol Chesterfield.
Mae ofn a nwyd yn gynhenid yn y pridd
fel oglau sigaréts yn lledr y parlwr,
a'r rhos a'r awyr yn glostroffobig.

Awn dros ael y bryn yn theatrig-ddeallus
gan sugno anesmwythyd haul Ardudwy
nes gweld lympiau concrid
fel cancar yn mynwes werdd y tir.

Yn y tir hwn, roedden nhw'n cymryd
gronynnau lleiaf bodolaeth,
hollti'r elfennau'n rym
a gobeithio bod y grym yn anwybyddu'i gynneddf –
yn dewis gwrthod ei ryddid anystywallt:
peidio â rhedeg yn noeth i'r nos
na ffrwydro'n ddarfod llachar
na glynu gwefusau wrth gnawd
na gollwng gwenwyn yn slei hyd y mêr.

Yma, ar drugaredd grym diarth,
mae'r mynyddoedd yn gwingo.

I Elis, fy mrawd bach, yn 21

Ai henaint yw hyn?
A lithri di bellach i'r llesgedd llwyd
lle nad oes dim yn brifo? Gadael
angerdd i bobl eraill, troi am adra toc 'di deg,
bwyta llysiau?

Henaint yw angau'n crafangu
am dy esgyrn, i'th rybuddio; mae yno
pan fo boreau'r difaru'n brathu'n waeth na stalwm,
cyfaddawd yn sleifio'n rhwyddach ar dy dafod,
siwt a thei'n dy wasgu'n llai.
Henaint yw angau'n dwyn
darnau o ryfeddod o'th gof,
yn smyglo ohonot y wyrth
o ddallt holl ystyr byw mewn ambell air.

Dydi henaint ddim yn dy siwtio.

Snogia beryglon, swigia amheuon
a phoeri breuddwydion i'r pafin.
Nadda dy lais
â'r geiriau gloyw, miniog sy'n dy ddallt.
Paid ag ofni'r tywyllwch; tywyllwch
sy'n gadael iti adnabod
disgleirdeb y sêr.
Paid â chysgu cyn rhyfeddu
o leiaf unwaith.
Cria'r dagrau sydd yng ngwaddod dy fêr
dan chwerthin
yn ymryson ffraethineb y bore bach.

Gorchfyga oed gŵr â thanbeidrwydd gwas
yn un ar hugain a'th ieuenctid rhagot.

Pan fydda i'n hŷn

Pan fydda i'n hŷn mi a' i'n fynach
(gwadaf fy nghariadon i gyd).
Taflaf fy ffôn i waelod y môr
a llosgi'r hen bethau.
Caf frethyn i 'nghrafu yn lle denim;
caf siantiau yn lle iPod.
Llosgaf y cysuron a mynnu
bara a dŵr a chysgu'n ysgafn
ar uniongrededd fy ngwely pren;
gwneud tân a gweld Iesu'n y fflamau.
Caf lunio doethuriaethau o'r distawrwydd
a distyllu gweddïau o'r tawelwch.
Pan fydda i'n hŷn mi a' i'n fynach
i gael stopio pryderu am Dduw.

Y storm

A'u clustiau'n glwyfus, ferwin,
taranodd rhai yn glir
y bydd gwlad o gamdreigladau
yn wlad heb iaith cyn hir.

'Ystyriwch y camdreiglwyr,'
medd eraill, blin fel mellt.
'O'u dychryn â chywirdeb,
fe aiff yr iaith i'r gwellt.'

Sibrydaf yn y storm
o ffraeo am yr iaith:
wnaiff safon ddim ei lladd hi,
nac amherffeithrwydd chwaith.

Ar ffordd osgoi Porthmadog

> A thraeth sydd rhyngof a thraw,
> im nid rhydd myned trwyddaw.
>
>   Dafydd Nanmor

Bu'r traeth hwn yn *big deal*, yn gagendor ym mhen Cymro.
Ond wedyn, codwyd Cob i droi ehangder
tywod yr aber yn ddaear at iws. A bellach,
gan fod trefi'n peri traffig, gwnaed lôn newydd dros y traeth –
un sy'n diflannu mewn eiliadau wrth ffidlan â'r radio,
lôn lydan sy'n gwatwar
y marchogion byrbwyll a garlamodd i'r tywod,
y beirdd ar frys i gyrchu llys yn Arfon,
y crwydrwyr di-ddallt a sugnwyd gan y llanw.

I un bardd, y traeth hwn oedd trothwy'r byd:
ffin ei alltudiaeth am ddweud y gwir am garu. Y tu hwnt i hwn
torrai enw'i gariad yn gain o gylch ei gerddi
â'i ddefnyn olaf o inc; canai ym mhlasau bro ddiarth;
criai 'os' anobeithiol am gorff yn Is Conwy.

Un bore araf, wrth ddilyn Mansel drwy'r glaw,
gwelais y traeth yn hawlio eto'i le:
y dŵr yn codi'n byllau dros y gwellt tywodlyd,
yn bygwth gwyrddni'r caeau ffwtbol,
yn sibrwd mai dros dro yn unig
y gall neb alltudio'r môr.

A phan fo'r Cob ar chwâl, ei feini'n dipiau
a'r môr yn sgubo eto hyd Aberglaslyn,
bydd Gwen o'r Ddôl mor bell, mor farw ag erioed.

Glynllifon

Lle mae'r nant yn gwaedu drwy'r mwsog
a cherrig eglwys yn ymgeleddu'n y ddaear,
lle mae'r pren wedi pydru a gadael drws agored
a'r adar yn distewi nes cau'n cegau ni,
cusenais di.

Lle mae cegau'r angenfilod yn poeri
dŵr budur i bwll tywyll, a'i geiniogau o'r golwg,
a'r llwybrau'n llithrig dan ddail llynedd
a'r coed yn gofgolofnau i'r anghofiedig trist,
cusenais di.

Lle mae'r plas yn marw dan gen ei waliau
a dim ond cip o siandelîr trwy'r ffenest,
lle mae'r gwydr yn gyndyn i sgleinio
a'r theatr gerrig yn drasedi oer,
cusenais di.

Cusenais di
uwch afon farw sy'n torri dros feini
a'u llyfnu'n ddim, lle mae'r gwyrddni'n
rhyfedd yn nadfeilio ara'r lle, y cerrig
yn derbyn bod cadernid yn gorfod mynd.

Cusenais di
a'th deimlo'n newydd yn fy mreichiau;
cawn goflaid iau. Pydra'n hesgyrn ninnau
cyn i'r lle hwn fynd yn ddim. Ond rŵan
cusanaf di, am y cawn ni gusan ifanc
cyn dadfeilio.

Eos

> Y swydd, pam na roit dan sêl
> i'th Eos gyfraith Hywel?
>   Dafydd ab Edmwnd

Dydi'n telynorion ni
ddim yn dueddol o gwffio mewn pybs,
bellach.

Dydyn nhw ddim fel Siôn,
fu'n berwi yng nghornel tafarn
oedd yn stici gan oglau chwys, llwch lli a chwrw,
a'i fysedd yn baglu'n flêr
dros dannau tyn ei dymer.

Dydyn nhw ddim
yn taflu'r stolion
a ffrwydro i'r ffeit fel dynion o'u co;
dydi eu dwylo cerdd dant
ddim yn clymu'n ddyrnau
i daro'n wyllt. Dydyn nhw ddim
yn gorfod edrych, mewn eiliad,
ar gorff yn oeri'n rhy waedlyd, sydyn.

Crogwyd Siôn
mewn darn o dir rhwng dwy drefn
lle roedd dwy gyfraith yn ymrafael,
dwy genedl fel oel a dŵr
yn bygwth toddi'n un.

Fe'i crogwyd
yn ôl deddf nad oedd yn ein dallt ni;
ac mae'n telynorion ni'n nabod y teimlad,
bellach.

Ar Google Maps

Mae mwy i nabod na gweld.
Ar sgrin, cyn mynd, ehangder fflat yw'r mynydd:
patsys o wellt a grug a cherrig
a'r llwybrau'n llinellau clir.
Does na chopaon na dyfnder iddi hithau
wrth edrych arni gynta: dim
argoel o beryg
nes iti grwydro'n rhy bell tu hwnt i'r ffens,
yn feddw i'r grug wedi seidar ara'r pnawn,
a cholli golwg ar y giât a'r gamfa.

Ddallti di mo'r mynydd nes bod
y llwybrau wedi dianc a d'adael
yn dy gwrcwd, ar gornel carreg,
yn petruso
ai neidio, 'ta sefyll, 'ta cropian sy saffa.
Wrth ddychryn y mae nabod y mynydd:
wrth i'th galon neidio ag ofn chwim
pan fo'r garreg yn bradychu dy droed,
pan fo'r grug yn cuddio twll sydyn.
Â llygaid cau
y gweli di hithau'n iawn:
wefus-yng-ngwefus,
a chreigiau swil ei chusan
yn baglu dy enaid
heb atal dy gwymp.

#selfieargoparEifl

Yn hen, yn hyll,
yn dew wedi'r Dolig
yn goch wedi dringo'r garn,
â gwallt gwynt,
trof gamera ataf fy hun
heb bwrpas
ond dweud:
dyma fi,
gorff,
ar gopa
yn chwysu
yn y gwynt
a'r haul yn fy llygaid
rhwng Llŷn ac Eryri
heddiw.
Dyma fi
yn fyw.

Agos

Belfast, haf 2007

Does neb yn meiddio edrych ar yr haul
o gysgod graffiti'r waliau
dan y weiran bigog sy'n rhannu'r stadau.

Milwr yn llenwi talcen tŷ
a'i lygaid Mona Lisa'n dilyn ein car
ar hyd ehangder diffeithwch y stad:
llygaid Mona Lisa mewn balaclafa
yn dal AK47 wrth wylio'r byw beunyddiol –
babis yn crio, caniau gwag, ffraeo mân.

Mae llygaid pobl yn gwibio yma,
yn sganio'r corneli; maen nhw'n neidio ar ddim.
Maen nhw'n gweithio, yn siopa, yn bwyta rhag ofn
fod yr heddwch normal yma i aros
ond mae rhyfel mor agos
â rasel ar arddwrn.
Mae hogiau tracwisg yn dawnsio ar do'r bys-stop.

Lle mae adeiladau disglair yn tyfu o darmac craciog,
mae'r aer yn drwm
gan nwy sy'n disgwyl matsien.

Yn nhoiledau'r Maes Carafanau

Welwn ni mo'n gilydd yma, yn ein rhes
eisteddog, dim ond clywed y noson cynt –
fel adlais o barti diedifar yr adlen drws nesa –
yn ebychiadau'r naill a'r llall, yn y grwgnach
a'r ochneidio rhyddhad. Gellir dyfalu,
o sniffian, a fu neithiwr gwrw a chyri
ynteu bodloni
ar salad gweddus o ffrij y garafán.
Twt-twtiwn i ni'n hunain, gyda'n gilydd,
pan glywn y lleisiau afrad cyntaf o Faes B
yn dod i dresmasu'n ein toiledau glanwaith ni. Dim ots.
Am rŵan, edrychwn ar y waliau gwyn posterog,
a gwrando am eiliad eto
ar anadlu rhegllyd y ciwbiclau eraill,
sawru'r cyd-ymdrechu cyn gwenu,
gorffen sychu, cymryd cip ar y papur a fflysho
a gwenu: achos be ydi Steddfod heblaw dod yn ddefodol
i rannu profiad hanfodol heb gywilydd,
a gollwng ein rhwystredigaeth a'n hofn i danc septig
ar gae
lle mae cawod oer yn aros?

Berlin

Ebrill 2010

Mae hi'n smocio ar blatfform yr *U-bahn*
yn ei dillad llwydion, tyn:
yn gwthio'i chorff at y llygaid pigog,
yn plygu'i phen-glin ac yn ysgwyd ei throed.
Mae'n stond; mae'r siwtiau streips
yn arafu rhywfaint wrth gamu o'i chwmpas
a gorfod edrych arni
yn lledrith anlladrwydd ei ffag.

Mae'n denau, mae'n llwyd; mae'n sugno mwg
sy'n gymylau arian gloywach na hi.
Mae cryndod y cledrau yn llifo drwy'i chorff,
ac ofn cael ei dal yn drydan drwyddi.
Swn y trên yn rhuthro'n nes;
daw'r ysgwyd drwy'i hesgyrn.

Clyw'r concrit yn tynhau.
Gwinga: ai dyna swn byddinoedd
yn cau am y ddinas, yn closio
at ei chell i'w dal
yn welw rhwng wal a gwn?

Gollwng y mwg i aer stêl y gwaelod
ac anadlu rhyddid yn ôl drwy'i ffroenau.
Ffag fel naid dros wal a dros dir neb.
Rôl fel peidio codi llaw'n salíwt.
Smôc fel seren.

Mae hi'n smocio ar blatfform yr *U-bahn*,
mewn twll yn y ddaear
rhwng dwyrain a gorllewin;
mae'n anadlu cymhlethdod y byd
a'i ollwng eto'n wenwyn.

Gwasga'r ffag dan sawdl
a diffodd ei gwrthsafiad;
trên yn chwyrnellu'r gwres
o berfedd y ddinas
cyn sgrechian i stop.
Aiff i guddio'i hwyneb yn ei gwallt
ar daith i dŷ.

Imbongi Cymraeg mewn pyb

Tampiodd fy hen bapurau,
llithrodd yr inc nes gwadu'r geiriau.
Syllaf ar y llinellau duon
a cheisio cofio'r awen
a daniodd synnwyr drwyddynt.

Mae'r dafarn yn disgwyl cerdd.
Codaf, a chodi o'm cof
hen eiriau, hen brofiadau,
y brawddegau sy'n llercian,
yn atsain o hen ystyr.
Gwnaf rywbeth ohonynt:
casglu'r ystrydebau a'r hen leisiau
yn gerdd newydd
a'i datgan dros furmur y dafarn.
Llosgaf fy mhapurau.

Hwiangerdd

Ni all y ddaear aros ar ddi-hun;
mae'r stryd yn llwyd 'blaw'r chwd ar linell wen
ac, ymhlith beddau Bangor, mae 'na un
sy'n bygwth dweud bod beirdd yn dod i ben.
Daw'r beirdd o'r dafarn eto, ac fe ddaw
eu hen drawiadau i oleuo'r stryd
fel sigaréts dau gariad yn y glaw,
fel golau sêr ar ymyl eitha'r byd.
Am fod y rhai sy'n ysgwyd yn eu mêr
yn gwingo am gael mynd, fe aiff y daith
ymlaen dros ffiniau'r byd, dan gawod sêr,
dros ddiniweidrwydd y milltiroedd maith.
Mi hoffwn i gael cysgu'n dawel, hardd,
heb wybod am amheuon na breuddwydion bardd.

Llyfr Coch Hergest

Arddangosfa'r Pedwar Llyfr, Llyfrgell Genedlaethol Cymru, 15/02/2014

Gawn ni fynd i'r Llyfrgell, cariad, i anadlu ar y gwydr,
pwyso'n trwynau ar y glendid
sy rhyngon ni a'r godidowgrwydd coch?
Tyrd, cariad, i drio cyfri'r tudalennau,
chwibanu'n ddistaw ar goethder y clawr
ac ynganu straeon o drybestod du'r inc.

Ond, wrth i'r llyfr ddwyn dy anadl
yn hymian trydan y cyflyryddion aer,
gwatsia gredu bod hyn yn bownd o ddigwydd.
Yn sgil damweiniau na ddaru ddigwydd
y cawn ni sefyll yma'n syllu
ar iaith ein fflyrtio wedi'i phuro'n
farwnadau a chwedlau:
gwas yn gollwng ei gannwyll yn y gwellt;
chwiw chwil uchelwr yn cau'i bwrs
ar ôl helfa giami; lluchio'r llyfr i wardrob.

Gwatsia gredu'n bod ninnau'n anochel;
dydi'n cusanau ni ddim wedi digwydd eto –
does dim byd rhyngom. Wnaiff ein chwedlau ni
mo'u creu eu hunain; wnaiff cerddi'n cariad
ddim cynganeddu o'r aer heb inni dorri gair.

Felly, cariad, gawn ni sôn am win gwyn sych,
caru pnawn Sul a *chorizo* ar draethau?
Gawn ni sibrwd yng nghlustiau'n gilydd
a gadael i'r stori droi'n draddodiad i ni'n dau?
Gawn ni slyrio awdlau blêr yn fawl dan olau'r stryd,
a chau'r cwbl rhwng cynfasau godidog, coch?

Bwlch-llan

Gwirionedd y Galon: John Davies, S4C, 29/12/2013

Fe'u gweli di nhw'n aml, heb sylwi:
y dynion sy'n llwyd fel ffenestri arosfannau bysiau,
ac sy'n crwydro'r ddinas – o fainc i dŷ teras
i gornel siop lyfrau – gan afael mewn bagiau plastig.

Mi ddalian nhw'r drws i ti yng nghysgod canolfan siopa,
â chyfarchiad bach llachar; mi safant o'r neilltu
yn siop gornel Ashghani, â fflach yn eu llygaid;
ei dithau heibio ar frys, gan wenu'n swil
ac anadlu pnawniau o gwrw cynnes
yn llwch tafarnau sy'n gweld eisiau oglau'r mwg.

Beth pe bai gan un o'r rhain
hanes gwlad yn gyflawn yn ei ben
a thŷ tu hwnt i'r ddinas lle mae'r awyr yn lanach:
sylwet ti?

Y gelyn yn Costa

Eisteddwn yn Costa, yn gadael i goffi llaethog
iro f'euogrwydd, wrth fudr-ddarllen ar f'iPad
erthygl am farwolaeth yr iaith:
mewnlifo, all-lifo, tai, gwaith, cymathu,
y teip hwnnw o beth.
Nodiwn fy mhen rhwng drachtiau o'm *cappuccino*
a murmur yn daer i'r ffroth fod angen gweithredu.

Glaniodd cyffyrddiad meddal, diarth ar fy llaw:
gofynnodd a gâi'r gadair wag
cyn cwympo at y bwrdd
yn gorwynt hapus o wallt ac ymddiheuriadau.
O Bolton y dôi, dyfalais o'i hacen:
y ferch hon o finlliw a'i llaw ar ei chalon.

Rhwng gwirio'i ffôn a chwythu i'w chwpan,
dechreuodd rwdlan am ei llawenydd:
yr ysgariad, y bwthyn gwyngalchog yng nghysgod y garn,
tangnefedd y tywod a goleuni'r môr,
yr eneidfaeth a sugnai o ddaear Llŷn
(cartref ei chalon, bellach).

Gwenais, chwarddais, cynigiais ddangos y dre iddi:
croeso iawn, pe bai ganddi ffansi gwydraid o win.
Llowciodd ei hespreso a mynd, dan wenu addewid;
trois innau'n ôl at f'erthygl.

Shit!
Gorffennais fy nghoffi a mynd.

Arwriaeth

Nos Iau: bws han'di-saith am adre.

Cefn:
hwdis ac iPods a llanciau'n
lluchio caniau a phoeri heriau
dros ei gilydd, yr hogiau'n sgrechian
a'r genod a'u rhegi mor lliwgar â'u gwallt –
y lleisiau'n las â snogio a smocio a sinema.

Ffrynt:
dyn bach tenau, moel a'i wraig
wedi'u gwasgu'n un;
sgidiau fflat a throli bach siopa.
Roedden nhw wedi stopio sibrwd-siarad ers tro,
a hithau'n pendwmpian.
Ond anadlai yntau gynddaredd drwy'i drwyn,
pob rheg a gorchest yn gyllell yn ei glust.

Llamodd o'i sedd (taflwyd y troli);
sadio'i draed yn llawr y bws.
Codi'i fraich fel proffwyd a mellt yn ei lygaid.
Poer yn tasgu o'i geg a'i gôm-ofyr ar sgi-wiff.
Datganodd: 'Byddwch ... ddistaw ... sgynochi'm ...
... parch ar f'enaid i ... araith ... wir dduw be sy haru chi?'
cyn i'r bws swingio rownd rowndabowt
a'i daflu'n ôl i'w sedd.

Diffoddwyd yr iPod,
o barch, cyn i wefusau ddechrau crynu â gigls;
chwerthin yn troi'n sgrechian wedyn.
Edrychai'i wraig am allan i'r nos
wrth fwytho cryndod ei law o ddyletswydd oer.
Sychodd yntau'i drwyn ac estyn crib
gan deimlo llygaid ar ei war a'i gorun.
Ond roedden nhw'n sbio ar rywbeth arall.
Pydrodd y bws rhagddo.

Leonard Cohen

Sint-Pietersplein, Gent, Awst 2012

Wrth i'r dydd dywyllu dan yr eglwys
gorffennwn ein brechdanau
a thynnu'n siwmperi canol-oed amdanom
cyn i giwrat o gitarydd
daro'i dannau i gyhoeddi'i ddyfod.
Anfonwyd hwn yn llysgennad i'r tir uchel,
tir y tai gwyn a'r colomennod
lle mae Duw'n siarad
yng nghanu merched gloywon, noeth,
a'i holl orchmynion yn glir yn dy ben
ar ôl drachtio gwirod eglur, oer.
Os wyt ti angen gweddïo yno,
sibrwd dy ddyhead i glust dy gariad
a dawnsio efo hi nes cyrraedd tragwyddoldeb serch.
Does dim tystion yno,
ac erys y cerbydau'n dawel yn y lôn
nes bod y düwch sanctaidd wedi darfod â symud.
Fe'i gyrrwyd yn feidrol i'r tir uchel
ond disgynnodd atom heno'n
broffwyd mewn ffedora.
Mae'r dynion canol oed
sy'n gwrando ar ei efengyl
yn meiddio breuddwydio
am gael rhyw â'u gwragedd heno.

Tryweryn

Yn rhith dan ddŵr y llyn, rydym yn iach.
Drwy'r tonnau, gwelwn ysgol, twr o dai a chloddiau terfyn
pobl sy'n dal i ddilyn cyfamod tawel â'i gilydd
i gwrdd yn y capel ar y Sul
a geni ŵyn ei gilydd pan ddaw'r gwanwyn.
Boddwyd y cwm, ond fe'i cadwyd i'r oesau'n
ddelfryd o'n bywyd cydwybodol Cymraeg.
Piclwyd yno ffordd o fyw.

Ac yn nŵr y gronfa hon, adlewyrchir arwriaeth
cenedl a agorodd ei llygaid a gwrthsefyll y moch.
Methodd, wrth reswm, ond pa ots am hynny?
Ni yw'r rhai sy'n credu
mai ymdrech yw'r nod, mai aberth yw'r pwynt;
ni sy'n chwysu ar yr allt ond yn ofni'r copa,
yn faneri blêr sy'n codi pan ddaw'r gwynt i'n chwipio,
ni sy'n fflyrtio â rhyddid gan lyfu'n cadwyni.

Cofiwn Dryweryn.

I Cit Parry yn 90 oed

Maen nhw'n dweud, Cit,
eich bod yn naw deg oed.
Mi glywais innau adar Llŷn yn canu pen-blwydd hapus
a'r môr yn gwneud te-parti ar draeth Penllech.
Ac mae gwaith dathlu:
blynyddoedd o straeon yn rhuthro i'r cof
a gwerth oes o gyfeillgarwch
yn felys a chynnes fel paned a chacen.

Mae toreth o brofiadau'n cuddio yn eich sgwrs:
treulio gaeafau (a'r glaw'n curo toeau'r siediau gwair)
yn ddiofyn ofalus wrth gadair, bwrdd a gwely;
swatio yng nghlydwch y machludoedd hefyd;
cerdded y steddfodau'n ddefodol,
gan aros tan y bore bach – 'drochi yn niwylliant
plaen, deallus festri a neuadd.
Dyna sut mae sens i'w gael wrth ichi
ysgwyd helbulon heddiw yng ngogor eich doethineb
neu daflu gair gwamal â gwên i'r plantos ei ddal.

Choelia i mo'r clwydda, Cit,
mai deg a phedwar ugain oed ydach chi:
rydach chi mor hen â chwedlau'r penrhyn hwn,
ac mor ifanc â'r bychan sy'n chwerthin yn eich cwmni –
chi yw Llŷn, lle mae'r cloddiau llawn hanesion
yn cau'n ffyddlon am gaeau gwâr. Chi yw Llŷn,
lle mae'r tonnau'n gyfarwydd a'r gorwel yn agos.
Chi yw Llŷn: y lle addfwyn, hardd, sy'n ein dallt ni.
Pen-blwydd hapus, Cit.

Marwnad *tu chwith*

Bu llanc.

Fe'i ganwyd o'r rhwystredigaeth
sy'n mynnu malu tresi
a thorri cwysi croes
i'r rhesi bodlon yn y cae.

Tyfodd yn gydnerth yn hyfdra'i anaeddfedrwydd.
Roedd gan hwn lais:
bloeddiai adnodau'i anufudd-dod croch,
a ffrwydrai goleuni o'i eithafiaeth afieithus.
Poerai gystrawennau'n erthyglau cymhleth
gan wfftio diffyg-dallt y rhelyw
yn y sicrwydd hyfryd sy'n galluogi llanc
i chwydu ar gornel stryd a'i alw'n ddarn o gelf.
Yn niriaeth print, cofnododd daranau
ei ddicter trwm a mellt ei ddyheadau.
Taflodd ddelweddau dros ddibyn rheswm;
ysgydwodd ei sgwyddau'n ddaeargryn undyn.
Cadwodd y byd yn flêr; cynhyrfu crychau
yng nghysur y mudandod esmwyth, saff.
Trodd y byd tu-chwith-allan –
dangos y gwaed a'r gïau.

Bu cyffur cyllid
yn drydan drwy'i wythiennau,
yn cyffroi rhesymeg yn ei feddwl

a chynnal ei dagu caled
nes iddo fynd yn swrth, yn fodlon
ar dwyll-gynghanedd ei ddadleuon.

Yn sydyn, heb rybudd na rheswm,
ataliwyd y cyffur. Crafodd y llanc am hit
drwy grefu ar y stryd.
Ond nid oedd hynny'n ddigon.
Ac mae o'n marw, rŵan.

Felly, mewn rhwymiad terfynol,
cyfyd y llanc am un gyfeddach olaf;
dyma'r ffrwydrad olaf. Dyma'r
ddawns ddiwethaf dros y glorian,
y rhwyg terfynol ym memrwn y ddeddf,
yr ymaflyd olaf â'r byd
cyn i'r byd fedru sleifio'n ôl i'w siâp cysefin
gan guddio'i drais a'i derfysg.
Dyma'r stranc ddiwethaf
cyn i'r llanc ildio i ddiddymdra,
cyn i'r llais ddiflannu,
cyn i'r diflastod deyrnasu,
cyn i'r geiriau dewr dewi,
cyn i'r meddwl gysgu,
cyn i'r gwaed arafu.

Heblaw ...

Breichled

Mae sgrechian y bychan yn brifo bore'r
cymudwyr siwtiog sy'n rhannu'r bws â'r ddau:
yr hogyn (sy'n gwrthod cynnwys ceulog llwy,
a snot yn hongian wrth ei drwyn)
a'i fam (sy'n dal y llwy ag un llaw,
a'r llall yn chwilio'r goitsh am dois).
Mae hi'n ddel o hyd, er nad oes neb yn sylwi:
dim amser i stretnyrs yn y bore, bellach,
ac mae bagiau duon dan y llygaid
fu'n hudo hogiau'r dre'r tu ôl i'r jim.
Mae'n sylwi ar y snot, yn estyn papur
(wrth i'w llygaid gochi) a'i sychu'n sydyn.
Ac wrth iddi stwffio'r papur i fyny'i llawes,
sylwais ar freichled o flodau'r maes ar ei garddwrn:
blodau tatŵ (mor dlws â'i hieuenctid, mor barhaol a'i gofid)
a inciwyd yno ryw bnawn ym Magaluf
pan wyddai na fyddai pob bore'n heli, haul a choctels –
pnawn pan wyddai y byddai arni angen
prydferthwch gwyryfol y blodau
ar fws lle nad oes lliw, na dim yn tyfu.

Plas

Bellter saff y tu ôl i wal, codwyd plas:
muriau tew a ffenestri eang, siandelîrs a sgarlad,
selerydd i ddal cig a gwin y Cyfandir. Ar y muriau:
symbolau, delwau, pileri'n datgan
mai damwain oedd fod y tŷ hwn
yn llwydni Gwynedd, nid yn haul gwareiddiad.
A gwnaed giât yn y wal: ei phlethu'n ddu
a chrefftio i'w bariau wynebau bwystfilod.
Roedd y giât yn fwy solet na'r wal.

(Codwyd hefyd, nid o ddewis,
derasau syml mewn cwm cyfagos:
lle i deulu fodoli, cwyno a diolch
fod iddynt waith a thŷ ac uwd.
Nid gwrthryfel oedd eu steil.)

Heddiw, a'r rhwd wedi cloi'r colfachau'n agored,
awn drwy'r giât i ddyfnder gwyrdd y stad
a dal ein gwynt wrth i'r prennau agor
a dangos ysblander y plas.
Mentrwn yn nes, a synhwyro'r craciau a'r tamp:
mae'r tŷ mor safadwy â rigor mortis,
yn gorff o dyrau mud a ffenestri mâl.

Awn adre rhwng strydoedd cyfyng
o ithfaen, soseri Sky, bocsys ailgylchu,
corachod gardd, a bras ac ofarôls ar lein:
terasau pobl sy'n byw.

Y ffibromatosis ymosodol dan fy nghesail

Gwelodd cyhyr ger f'asennau'n dda
i rwygo mewn gêm rygbi. Ac o rwygo, chwarae teg,
trio'i drwsio'i hun. Ond wrth drio mendio –
tyfu'n fwy i guddio'r rhwyg – gwelodd y cyhyr ei gyfle.
Lapiodd ei hun am f'esgyrn
a ffrwydro'n dalp caled, lwmp o anffurfiad dan fy nghesail
sy'n gyrru poen yn gyllell drwy f'ochr
os dwi'n plygu'n chwithig neu'n cysgu'n gam.
Mae'n hyll dan grysau tyn, yn stopio
'mraich rhag symud mwy na hyn-a-hyn.

Ond weithiau – hyd yn oed
pan fo pang o boen o'r bastad tiwmor yn fy neffro
'nghanol nos, neu'n fy mhlygu yn fy hanner ar y stryd –
dwi'n falch ei fod o yno.

Achos dydi o ddim yn poeni
mor chwimwth yw 'nychymyg,
mor gyforiog o ddifaru ydi f'enaid i.
Mae o'n dweud, yn y saethau poen,
mai dim ond tenant ydw i yn y cnawd hwn:
yn rhentu'r lle dros dro, heb hawl ar f'esgyrn,
heb lais yn nhelerau les fy nghorff
na syniad pryd daw hi i ben.
Ac mae hynny'n iach.

Creisis hunaniaeth mewn tŷ gwydr

Un distadl ydwyf:
corjetsyn.
Ond pe bawn i'n dalach,
ryw fymryn –
dim ond modfedd
yn hirach,
y twtsh lleia'n
dewach –
a fyddwn i'n giwcymbar,
wedyn?

O'r dwfn

Teide, Tenerife, Gorffennaf 2011

Ymlusgant yma mewn hetiau haul a fests
am egwyl rhag crimpio'u boliau
ar fin y pwll gyda choctels dyfrllyd.
Dringant, yn eu ceir benthyg
elltydd llwch yr ynys,
i fyny o'r traethau at graig losg y brig
nes cael edrych ar ehangder garw, sych y garreg goch
a dringo ar wifren tua'r copa.
A'r mynydd a ffurfiwyd gan ryferthwy lafa'r dwfn
yn ddiog, sefydlog, fud.
Ond gwn fod distawrwydd y graig
yn ymladd â thanbeidrwydd ei dyfnder ei hun;
rwy'n meiddio meddwl
y ffrwydra rhuthr goleuni'r gwaelod a guddiwyd
yn llachar eto
un dydd,
heb hidio dim.

Hiraeth am Dŷ Newydd

Ar ôl cwrs yr Urdd, 1-3/11/2013

Nos Fawrth yn gur pen o law,
weipars yn gwrthod ymlid y diflastod
a'r clociau 'di troi'r flwyddyn yn wyll;
yr awen yn pydru fel talp o hydref,
dail tamp yn blocio 'mhen
a realiti'n glynu'n bowdwr yn fy ngwddf
nes methu llyncu:

af yno
i'r Tŷ Newydd yn fy enaid
at y rhai sy'n meddwl fel fi,
i gladdu gwleddoedd yn sŵn
symffonïau'n cyd-ddallt
a cherdded drwy goed tywyll
dan awyr amhosib o sêr.

Pan fydd galar yn brifo'n slei
fel pinnau mewn panad
cawn gamu i'r golau yn y muriau gwyn,
a gorffwys
yn llyfrgell ein profiad a'n dyheadau;
cadw gwylnos yng nghysgodion canhwyllau;
agor potel newydd toc 'di tri
a thollti dealltwriaeth i wydrau'n gilydd;
meddyliau'n chwarae mig cyn cynganeddu.

Af yno yn fy enaid.
Af yno.

Y Diff(yg)

Safa i ddim
fel proffwyd anwydog yn fy nhir gwag, oer,
ymhell i'r gogledd,
yn gwaradwyddo fod pobl ifanc yn gwneud
be mae pobl ifanc yn wneud:
sef denig yn haid
at gwmni gloyw'i gilydd,
i ddawnsio'n eu disgleirdeb rhwng terasau Grangetown,
i beintio drysau a chwynnu bywyd newydd ym mlerwch Sblot.
Mae'r peth yn naturiol. Dwi'n gwrthod sôn yn sarrug
am wyfynod a goleuni.
Dwi'n dallt bod mwy o gyffro yn y darn pafin
rhwng garejys di-raen y Bae a giatiau'i fflatiau plaen
nag yn y llwybr gro rownd cefn neuadd bentre'n Llŷn.
Dwi'n dallt pob dim heblaw
pam nad ydw innau'n swigio cwrw cyfandirol yn Chapter
nac yn snortio'n helaeth o'r cocên cyfryngol.
Ond yma yr ydw i, yn gwrthod gwawdio,
yn rhy ddiog, wreiddllyd i symud,
yn gobeithio gwneud goleuni
yn y tir gwag, oer
hwn.

Trydar

Sbia'r lympiau du
sy'n crafangu at frigau tywyll, tenau'r coed:
nythod a wnaed yng nghysgod cynnes yr haf
pan oedd y dail yn bentref am y canghennau
cyn i'r hydref eu dychryn, a gadael y nythod
yn ddi-adar, ddigysgod, ddi-ddim.

A sbia'r tai: cysgodion carreg yn y tir gwag,
a golau'r bylbiau noeth yn bŵl drwy'r cyrtans les,
lle mae pobl unig, yn oerni letric-ffeiars,
yn tiwnio'u radio i donfeddi stalwm.
Sbia nhw: y tai trist ymysg tai tywyll
a dail y pentre wedi cwympo – capel, ysgol, siop,
y pethau sy'n gwau'n ei gilydd
i guddio noethni'r tir.

Ond cau dy lygaid ar wacter y coed,
a gwranda ar y trydar diarbed:
ein sŵn ni – ein canmol cynhennus,
cynganeddion damweiniol ein delfrydau,
ymrysonau ffraethineb y boreau bach –
yn gwibio'n drydan drwy oerni'r aer.
Mae'r coed yn noeth ond ni bia'r awyr.

Rhagot

Lansio *Storm ar Wyneb yr Haul*, Llŷr Gwyn Lewis, Palas Print
04/05/2014

Sathrodd ein traed filltiroedd o lwch, gyfaill,
ers i'n llwybrau groesi'r tro cyntaf,
pan groeson ni drothwy Tŷ Newydd
yn sicrwydd hollwybodus ieuenctid,
yn nyddiau bloneg ein harddegau.
Yno, yn nadlau gwin y muriau gwyn,
y dechreuon ni ffendio'n traed a ffrwydro trawiadau.
Yno y gelwais ar bob gronyn o'm moesgarwch
i'm stopio'n hun rhag cysgu
a chdithau'n darllen Larkin imi o dy wely.

Mi est ymhellach na mi, o fanno;
dy lwybrau'n dringo'n uwch
a gogwyddo'n nes at beryg y ffin.
Est ar deithiau nad ŷnt ond awydd gen i:
ar drên y dwyrain, i fynachlogydd;
i golegau'r sgleigion, a sgleinio,
i dyrau ifori, i dyrau concrit hefyd.

Er iti fentro 'mhell o'm llwybr union i,
nid rhannu llwyfan talwrn neu fainc tafarn
yw unig agosrwydd beirdd:
ein cyfeillgarwch yw rhannu'r un traddodiad,
taro, weithiau, ar yr un trawiadau,
a gwybod, wrth ddarllen yr un llinell wych
neu'r un erthygl crap,
fod ein meddyliau'n denig
fel mellt i awyr ein dealltwriaeth,
yn fflio ar unwaith i'r un gornel o'n cynhysgaeth.

A dyma ti yma, yn oedi ar dy lwybr i fwrw i'r byd
rywbeth mwy na dalennau rhwymedig.
Dyma ti'n estyn nodiadau cynnil
o waelod dy rycsac; ein gwadd
i ddrachtio paneidiau dy brofiadau,
clywed oglau chwys hen nosweithiau,
dy weld yn paentio ystyr newydd i hen ddarluniau,
gan brofi bod dy radio
ar donfedd uwch na sŵn y rhelyw.

A rŵan? Dos rhagot, gyfaill.

Dan Ddylanwad

Mae sgwennu cerddi fel snogio yn Blu,
taflu geiriau'n feddw dros ei gilydd
heb wybod fydd ystyr ar ôl pan ddaw'r bore.
Barddoni ydi symud drwy reddf gyntefig at un o'r syniadau
sy'n cordeddu'n chwyslyd dan y fflachiau
sy'n troi synnwyr crysau gwyn yn las;
bwrw i ddelwedd, i ddawns, i gyffelybiaeth, i gusan
yn ôl greddf nos Sadwrn. Dewisa fi'n syniad heno:
cawn daflu'n cyrff ar drugaredd y cysgodion
lle mae pawb yn dlysach; lapio'n tafodau yn ei gilydd
i dewi'r sgwrsio diflas: ein cusanau'n felys fel afalau
a ninnau'n dywysogion y *dancefloor*;
traddodiad yn glynyd ein traed yn y llawr;
strapio'n hunain i olwynion y noson,
a'n galar a'n gobeithion i gyd
yn y breichiau sy'n sleifio at groen ystlysau;
distyllu agosrwydd astrus deunaw wisgi'n
gystrawen mor glir â jin cynta'r hwyr
cyn i'r bownsar ein lluchio'n dyner i'r nos,
lle mae amser yn chwarae *hard to get* rownd y sêr.

A wyddost ti ddim: pan fydd y wawr yn hollti'n wir,
a dangos hoel ein bachau ar y gwydr,
a fydda i'n rhigwm sarrug i'w ddifaru fel cebab
'ta'n englyn sy'n cynganeddu â'th freuddwydion –
a fydd ein geiriau'n para'n oes o chwedl
'ta'n cael eu sgubo o'r stryd fel chwd o bafin Pekish.
Felly sgwenna fi'n gerdd, heno; snogia fi yn Blu.
Hyd yn oed os tefli di'r papur fel weips colur
bydd cyffro'r creu didoreth yn fflam yn dy enaid,
yn barod i'w chydio yn nhân oer nosweithiau eraill.

Yn angladd Gerallt

Mae bod yn fardd yn grêt.

Dwi'n cael ateb cwestiynau trici â dihareb slic
a dydi pobl ddim yn meindio
pan dwi'n mymblo a syrthio'n fud mewn sgwrs
ond imi sôn am y Cywyddwyr
neu nêm-dropio Twm Morys
o bryd i'w gilydd. Dwi'n cael siarad shit ar gynghanedd
ac mae pobl yn dallt 'mod i ar drugaredd yr awen
ac yn brwydro â throeon ymadrodd
lot rhy gymhleth i feddwl am olchi'r llestri.

Dwi'n cael ateb 'Iawn, mêt?' yn epigramatig
cyn syllu i nunlle wrth y bar
ac oedi'n hirfaith dros fy mheint ond imi
sugno'n fyfyrgar ar feiro, neu decstio
llinellau cofiadwy i mi fy hun (rhag eu hanghofio).
Dwi'n cael yfed yn gynt, dro arall, a honni
bod chwydu'n y wardrob
yn rhan o'r broses greadigol.

Ond ella y daw 'na ddydd
a'i gwestiynau'n brifo gormod,
a'i argyfwng yn gafael gerfydd fy ngholer:
diwrnod malu 'ngwamalrwydd a sodro fy swildod dan glo,
pan fydd cerddi'n gofyn mwy o ateb na mwmial cynnes,
pan na all fy llinellau oroesi ar werthfawrogiad,
pan fydd yn rhaid i 'ngeiriau dorri'n gyllell
drwy fraster diflastod ein byw.

Tan hynny, af mewn sanau stroclyd i ymryson
a 'nghlyfrwch yn atsain yng ngwacter godidog y geiriau.

Achub Pantycelyn

04/04/2014

Nodai taenlenni cyfrifol cyfrifyddion cynnydd
fod dyddiau'n peuoedd ar ben
a'n neuaddau uniaith
mor anghynaladwy â'n gwareiddiad,
a hithau'n bryd cymryd ein glastwreiddio
ym mlociau fflatiau unffurf y dyfodol.
A bu'r soffistigedig yn ein mysg
yn dathlu'r symud yn rhyddfrydol frwd
am na all gorwelion uniaith fod yn eang.

Dwedodd breuddwydwyr iau – rhai heb eu sbaddu
gan gyllell ddi-fin cyflog a chyfaddawd –
na fynnent werthu eu henaid am *en-suite*.
Cododd y plant yn fintai lachar ei therfysg,
yn fyddin a'i chwerthin mor finiog â'i hegwyddor.

Hyd yn oed wrth ddal placardiau'r frwydr
ym mhrotest y maes parcio oer,
chredais i ddim fod yr ymdrech hon yn fwy
na'n strancio arferol, hanfodol
yn nannedd yr anochel:
sgrechian i ddangos ein bod yn dal yma,
cyn colli'r dydd, fel arfer.
Difodiant yw'r dyfodol: gwyddom hynny,
er gwadu'r peth ar goedd.

Ond daeth Ebrill â thrugaredd annisgwyl:
roedd y peth mor annaturiol
â'r llanw'n troi ar ei hanner
neu flagur ganol gaeaf,
ond digwyddodd.

Gwnaed plant y placardiau'n arwyr cenedl.
Nid gormod sôn am gadw gwinllan,
neu rwystro'r lle rhag llosgi i'r llawr
fel neuaddau llên.

Nid llety'n unig mo hwn, bellach;
nid dim ond lle i ganu, meddwi, shagio yn Gymraeg
cyn setlo mewn job a phriodas dosbarth canol.
Saif y muriau'n brawf nad yw darfod
yn fiwrocrataidd o anorfod,
ond inni beidio â chloi'n gwrthryfel
yn atig oer ein gwladgarwch,
ond inni ffendio gwrhydri yng nghorneli'n cydwybod.
Nid tŷ cywilydd mo Pantycelyn.

Jarman

Yn nhacsi'r nos,
yng nghrio ambiwlans,
dwn i'm ble
yr aiff o â ni:
reggae'n ein rhwygo
ar daith
ei gymeriad o.

Tyrd

Nant Gwrtheyrn, 30/06/2012

Tyrd efo fi, cariad, i'r tai tal –
strydoedd smart lle 'dan ni'n perthyn.
Gawn ni godi'n breuddwydion yn bedair wal
a'u bwrw i lawr dan chwerthin.

Tyrd i'r ddinas brysur â'i ffenestri llaith,
yna ar drên i ddinas arall.
Tyrd efo fi, cariad, dan siarad iaith
nad oes neb ond ni'n ei deall.

Dal fi ar y ddaear tra bo 'mhen i fry.
Mi ddalia i di os ti'n disgyn.
Bydd goleuni'n galw'n hesgyrn llosg i'r tŷ;
gawn ni drwsio'n gilydd wedyn.

Tyrd efo fi o olwg Carreg Llam,
i neuadd y wledd neu am banad.
Tyrd: does dim rhaid i ti ofyn pam.
Does dim diwedd i'n dyhead.

Gawn ni goelio clwydda gola'r naill a'r llall,
a blysu blas pob eiliad.
Gawn ni fwyta a mwydro fel petha'm yn gall.
Tyrd efo fi, fy nghariad.